PARTI!
Y FFORDD
YMA →

Cyhoeddwyd gan Rily Publications Ltd., Blwch Post 20, Hengoed CF82 7YR. Hawlfraint yr addasiad © 2015 Rily Publications Ltd. Addasiad Cymraeg: Tudur Dylan Jones. ISBN 978-1-84967-257-3 Cyhoeddwyd yn wreiddiol yn Saesneg yn 2015 fel *There's a Monster in My Fridge* gan Simon and Schuster UK Ltd., 1st Floor, 222 Gray's Inn Road, London WC1X 8HB. Hawlfraint y testun © Caryl Hart 2015. Hawlfraint y darluniau © Deborah Allwright 2015. Mae Caryl Hart a Deborah Allwright wedi sefydlu eu hawl i gael eu cydnabod fel awdur ac arlunydd y gwaith hwn yn unol â Deddf Hawlfraint, Dyluniadau a Phatentau 1988. Cedwir pob hawl, yn cynnwys atgynhyrchu. Mae cofnod catalog CIP ar gyfer y llyfr hwn yn y Llyfrell Brydeinig. Argraffwyd yn China.

I IMMA A MATHILDE CHI'N WYCH! – C.H.

I KAI A POPPY CARIAD D.A.

RILY

www.rily.co.uk

mae Bwystfil yn fy oergell

There's a MONSTER in my Fridge

CADWCH DRAW!

CARYL HART

Deborah Allwright

Addasiad
Tudur Dylan Jones

Beth sy'n cuddio yn fy oergell i?
Ai llygoden neu **fochdew**, cath neu gi?

Nage! Nid dyna sy'n creu'r **traed moch** . . .

BWYSTFIL

sy'n bwyta jeli coch!

Beth sydd tu ôl i'r sgrin borffor bren,
ei **chroen** yn **wyrdd** a phry cop ar ei phen?

Mae'n codi ofn
ym mhob rhan o'r ddaear . . .

GWRACH

mewn esgidiau rholio llachar!

O dan y grisiau mae'n **dywyll** ac yn **oer,**

ac **ystlumod** sy'n hedfan

yng ngolau'r lloer.

12

Cyneua'r tortsh,
    yn dawel ac araf . . .

Well! Dacw **FAMPIR** yn ei ddillad isaf!

Pwy sy'n y **bath** yn hapus eu byd
a'u chwerthin yn **clician**
a **chlecian** i gyd?

Fentri di fewn

i'r ystafell hon . . . ?

DAU SGERBWD GWYN

sy'n syrffio'r don!

Beth sy'n y gwely a'i **ddannedd** yn **finiog**,
Ei draed yn **frown** a'i gefn yn

flewog!

Pwy yw hwn sy'n edrych mor ffôl?

Ond beth yw hwn? Mae drws bach pren
a grisiau sy'n arwain i stafell uwchben.

Rhaid i ti gamu'n dawel nawr
At ddrws bach, bach sydd â . . .

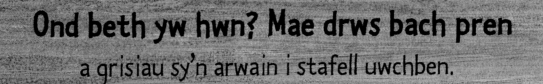

mor fawr!

Bron â chyrraedd – un . . . dau . . . tri . . .
Pwy sydd yn cuddio . . . ?

BLAIDD MAWR CAS

yn crafu'i ben-ôl!